من خبّأ خروف العيد؟

قصّة: تغريد النجار

رسوم: حسّان مناصرة

قَبْلَ عيدِ الأَضْحى بِأَيّامٍ، حَضَرَتِ الجَدَّةُ "فَطّومُ" مِنْ فِلَسْطينَ لِزِيارَةِ عائِلَتِها وَالاحْتِفالِ مَعَهُمْ بِعيدِ الأَضْحى.

بَعْدَ أَنِ ارْتاحَتِ الجَدَّةُ مِنْ تَعَبِ السَّفَرِ،
أَحْضَرَتْ سَلْمى مَلابِسَ العيدِ الجَديدَةَ لِتُرِيَها لِجَدَّتِها
وَهِيَ تَقولُ: ما رَأْيُكِ بِطَقْمِ العيدِ يا جَدَّتي؟
أَلَيْسَ جَميلاً؟

قالَتِ الجَدَّةُ وَهِيَ تَضْحَكُ: طَقْمٌ جميلٌ! حَقًّا جَميلٌ!

ثُمَّ صَمَتَتْ وَسَرَحَتْ بِأَفْكارِها بُرْهَةً وَقالَتْ: آه... الحَديثُ عَنِ العيدِ ذَكَّرَني بِقِصَّةٍ حَصَلَتْ مَعي وَأَنا في مِثْلِ عُمُرِ سَلْمى.

قالَ ماهِرٌ وَسَلْمى بِصَوْتٍ واحِدٍ: احْكي لَنا يا جَدَّتي! احْكي لَنا!

قالَتِ الجَدَّةُ: كُنْتُ يَوْمَئِذٍ في السّابِعَةِ مِنْ عُمُري، وَفي أَحَدِ الأَيّامِ، جاءَتْ بَدَوِيَّةٌ وَمَعَها حَمَلٌ صَغيرٌ تَعْرِضُهُ عَلَيْنا؛ لِنَشْتَرِيَهُ وَنُرَبِّيَهُ لِنُضَحِّيَ بِهِ يَوْمَ العيدِ.
اقْتَرَبْتُ مِنَ الحَمَلِ الصَّغيرِ وَصِرْتُ أُلاعِبُهُ.

سَعِدْتُ كَثيرًا حينَ وافَقَتْ أُمّي عَلى شِرائِهِ.
وَمُنْذُ ذَلِكَ اليَوْمِ، أَصْبَحَ الحَمَلُ الجَميلُ صَديقي،
يَلْحَقُ بي أَيْنَما أَذْهَبُ.
كُنْتُ آخُذُهُ لِيَرْعى في البَرِّيَّةِ، وَأُزَيِّنُهُ بِالأَزْهارِ،
وَأَتَسابَقُ مَعَهُ وَأَحْكي لَهُ أَسْراري.

وَفي يَوْمٍ مِنَ الأَيّامِ، سَمِعْتُ أُمّي وَخالَتي تَتَحَدَّثانِ عَنْ "خَروفِ العيدِ" وَهُما تُشيرانِ إِلى خَروفي، وتَتَبادَلانِ الوَصَفاتِ عَنْ كَيْفِيَّةِ تَبْهيرِهِ وَطَبْخِهِ. وَلِأَوَّلِ مَرَّةٍ فَهِمْتُ ما مَعْنى أَنْ يَكونَ خَروفي "خَروفَ العيدِ".

أَخَذْتُ الخَروفَ لِيَرْعى وَالحُزْنُ يَفْطُرُ قَلْبي،
وَخَروفي لا يَدْري ماذا يَنْتَظِرُهُ،
يَقْفِزُ هُنا وَهُناكَ وَيَقولُ: ماء... ماء... ماء.

قَرَّرْتُ لَحْظَتَها أَنْ أُحاوِلَ إِنْقاذَ صَديقي.
أَخَذْتُهُ إِلى مَغارَةٍ لا يَعْرِفُ مَكانَها أَحَدٌ غَيْري،
وَرَبَطْتُهُ ثُمَّ عُدْتُ إِلى البَيْتِ.

سَأَلَتْني أُمّي عَنِ الحَمَلِ فَقُلْتُ: ضاعَ!

صاحَتْ أُمّي: "خَروفُ العيدِ" ضاعَ!

كَيْفَ حَدَثَ ذَلِكَ؟ قولي لَنا أَيْنَ هُوَ؟ أَيْنَ؟

بَحَثَ إِخْوَتي عَنِ الخَروفِ طَويلاً... طَويلاً،

وَلَكِنْ دونَ جَدْوى.

18

كانَ جَدّي - رَحِمَهُ اللّهُ - يُحِبُّني وَيُدَلِّلُني، فَأَسْرَعْتُ أَخْتَبِئُ في حِضْنِهِ وَأَنا أَبْكي وَأَقولُ: لِماذا يَجِبُ أَنْ نُضَحِّيَ بِالخَروفِ يا جَدّي؟ لِماذا؟

ضَمَّني جَدّي إِلَيْهِ وَقالَ لِي بِكُلِّ لُطْفٍ: في عيدِ الأَضْحى يا حَبيبَتي يَتَذَكَّرُ المُسْلِمونَ قِصَّةَ سَيِّدِنا إِبْراهيمَ -عَلَيْهِ السَّلامُ- عِنْدَما أَرْسَلَ اللّهُ إِلَيْهِ المَلاكَ جِبْريلَ بِخَروفٍ كَبيرٍ لِيُضَحِّيَ بِهِ فِداءً لِابْنِهِ إِسْماعيلَ، هَزَزْتُ رَأْسي وَقُلْتُ: أَعْرِفُ... أَعْرِفُ هَذِهِ القِصَّةَ يا جَدّي، وَلَكِنْ...

أَضافَ جَدّي مُؤَكِّدًا: وَهَذِهِ الأُضْحِيَةُ يا حَبيبَتي تُسْعِدُ الفُقَراءَ وَالمَساكينَ عِنْدَما نُعْطيهِمْ جُزْءًا مِنْها، وَتَجْمَعُنا حَوْلَ مائِدَةِ الغَداءِ فَرِحينَ مُحْتَفِلينَ بِالعيدِ.

قُلْتُ وَأَنا أَبْكي: نَعَمْ... نَعَمْ! وَلَكِنْ لَوْ تَعْرِفُ يا جَدّي كَمْ أُحِبُّ هَذا الخَرُوفَ الصَّغيرَ لَقَدْ... لَقَدْ أَصْبَحَ صَديقِي.
أَرْجُوكَ ساعِدْنِي يا جَدّي... ساعِدْني!

قالَ جَدّي : أَسْتَغْفِرُ اللّهَ العَظيمَ! ما كانَ يَجِبُ أَنْ يَسْمَحَ الكِبارُ لِصَغيرَةٍ مِثْلِكِ أَنْ تَتَعَلَّقَ "بِخروفِ العيدِ"!
هَيّا كُفّي عَنِ البُكاءِ يا صَغيرَتي وَسَأُحاوِلُ أَنْ أُساعِدَكِ.
وَلَكِنْ حَذارِ يا فَطّومُ... حَذارِ أَنْ تَتَعَلَّقي بِأُضْحِيَةِ العيدِ مَرَّةً ثانِيَةً.

قُلْتُ لِجَدّي: أَعِدُكَ يا جَدّي... أَعِدُكَ!

صَمَتَ جَدّي قَليلاً ثُمَّ نادى أُمّي وَسَأَلَها: ما رَأْيُكِ يا ابْنَتي لَوْ نَشْتَري خروفًا آخَرَ لِلعيدِ ونُرَبّي "حَمَلَ فَطّومَ" مَعَ أَغْنامٍ أُخْرى؛ لِيُصْبِحَ عِنْدَنا عَدَدٌ مِنَ الأَغْنامِ نَسْتَفيدُ مِنْ حَليبِها؟ احْتَجَّتْ أُمّي أَوَّلَ الأَمْرِ، وَلَكِنَّها أَخيرًا وافَقَتْ.

كِدْتُ أَطيرُ مِنَ الفَرَحِ،
وَأَمْطَرْتُ جَدّي بِالقُبُلاتِ
وَأَنا أَقولُ: أَعِدُكَ يا جَدّي! أَعِدُكَ،
لَنْ أَتَعَلَّقَ بِأُضْحِيَةِ العيدِ ثانِيَةً.

فِي صَبيحَةِ العيدِ، لَبِسْتُ فُسْتاني الجَديدَ، وَرَكِبْتُ
"أَراجيحَ العيدِ" مَعَ إِخْوَتي.
تَأَرْجَحْنا، رَكَضْنا، لَعِبْنا، أَكَلْنا المَعْمولَ وَالحَلْوى.
كانَ عيدًا يا أَحِبّائي لَنْ أَنْساهُ أَبَدًا.

قالَتْ سَلْمى مُمازِحَةً جَدَّتَها: ما هَذا يا جَدَّتي؟
أَنا لَمْ أَعْرِفْ أَنَّكِ كُنْتِ شَقِيَّةً إِلى هَذِهِ الدَّرَجَةِ وَأَنْتِ صَغيرَةٌ!

لَمَعَتْ عَيْنا الجَدَّةِ بِمَرَحٍ وَهِيَ تَقولُ: الشَّقِيُّ الْحَقيقِيُّ يا أَحِبَّائي
هُوَ والِدُكُمْ عِنْدَما كانَ صَغيرًا.

صاحَ ماهِرٌ بِحَماسٍ: احْكي لَنا يا جَدَّتي! احْكي لَنا!
ضَحِكَ بابا وَقالَ مُحْتَجًّا: لا... لا يا أُمّي. أَرْجوكِ أَلّا تَحْكي.
قَهْقَهَتِ الجَدَّةُ وَقالَتْ: بَلْ سَأَحْكي.

ضَحِكَ الجَميعُ طَويلاً واسْتَعَدّوا لِسَماعِ قِصَصٍ
عَنْ شَقاواتِ الوالِدِ وَهُوَ صَغيرٌ.

(ردمك) ISBN 978-9957-04-059-8

رقم الإيداع لدى دائرة المكتبة الوطنية 2012/1/20

Who Hid The Eid Lamb (Man Khaba'a Kharoof Al Eid)

الطبعة الثانية: 2016
طبعت في المطابع المركزية - الأردن

www.AlSalwaBooks.com

تم تصنيف هذه القصة وفق معايير «عربي ٢١» لتصنيف كتب
أدب الأطفال العربي وقد صنفت مستوى لـ متوسط أعلى «٢»